KU-135-038

Y DDINAS
UCHEL
HUW AARON
atebol

Rhywle, rhywdro, roedd yna ddinas
o dyrau oedd yn estyn i fyny i'r awyr.

Byddai pobl y ddinas yn treulio'u
holl amser yn adeiladu, pob un yn
ceisio codi'r tŵr uchaf un.

i fynd yn uwch

Roedd pawb yn gweithio'n
galed o fore gwyn tan nos,

ac yn uwch

ac yn uwch.

Pawb ond Petra.

Roedd yn well gan Petra wylio'r byd ...

a gofyn cwestiynau.

"Pryd gawn ni stopio adeiladu?"

"Pan fyddwn ni'n ddigon uchel."

"Pa mor uchel oes rhaid i ni fynd?"

"Ychydig yn uwch, Petra. Ychydig yn uwch."

O ble mae'r holl gerrig yn dod?
O'r tir o dan y ddinas – digon i bara am byth.
Beth os oes tŵr yn disgyn?
Casglwn y cerrig a'u defnyddio eto, siŵr iawn.

Beth os yw'n tŵr ni yn disgyn?
Bydd ein tŵr ni byth yn disgyn!
Beth sydd y tu hwnt i'r ddinas?
O, digon o dy holi, Petra. Mae dy ben yn y cymylau!

“Beth sydd o’i le ar stopio a syllu?

Pwy sy’n dweud bod rhaid adeiladu?

Pryd fydd yr hen ddinas yma’n ddigon uchel?

Mae’n rhaid bod mwy
i fywyd na hyn?!”

“Wn i ddim, Petra.

Well i ti fynd i siarad gyda’r Un Doeth.

Nawr ble mae’r morthwyl ’na?”

Dringodd Petra i'r tŵr uchaf,
a gwrandawodd yr Un Doeth arni.

Wedi iddo oedi ac ystyried, atebodd.

“Petra fach, mae’n bryd i ti dyfu i fyny – y ddinas yw’r byd a’r byd yw’r ddinas. Derbyn y drefn, gweithia’n galed ac mi fyddi di’n hapus.”

Ac felly, aeth Petra ati i ddilyn y drefn.

Dim stopio.

Dim cwestiynu.

Dim ond gweithio'n galed.

O fore gwyn tan nos.

A hithau wedi blino'n lân ac yn teimlo'n benisel,

aeth Petra i wylio'r byd

a gwelodd rywbeth rhyfedd.

Chwifiodd Petra, a galwodd.

A daeth y Peth rhyfedd ati.

“Dos â fi’n uwch,” mynnodd Petra.

Estynnodd y Peilot ei llaw.

Cododd y ddwy i awel y nos.

“Mae’r tyrau i gyd yn edrych yr un maint o fan hyn,” meddai Petra.

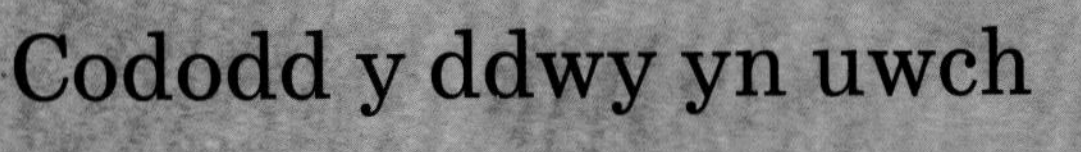

Cododd y ddwy yn uwch

ac yn uwch

ac yn uwch.

Teimlodd Petra y gwynt yn ei gwallt.

"Mae'r ddinas mor fach ... a'r byd mor fawr."

Gwenodd y Peilot,
a throi am adref.

Dychwelodd Petra i'r ddinas.
"Aros!" galwodd wrth wylio'r Peth yn codi.
"Dangosa hyn i bawb arall hefyd."

Daeth geiriau'r Peilot yn ôl ar y gwynt:

"Un hen ydw i, a bach yw'r fasged.

Dangosa *di* iddyn nhw."

A dyna wnaeth hi.

i Luned, am bopeth.

Diolch i Rachel Lloyd am ei chymorth a'i chefnogaeth.

Cyhoeddwyd gyntaf yng Nghymru yn 2019 gan Atebol Cyfyngedig,
Adeiladau'r Fagwyr, Llanfihangel Genau'r Glyn, Aberystwyth,
Ceredigion, SY24 5AQ

Dyluniwyd gan Elgan Griffiths
Golygwyd gan Adran Olygyddol Cyngor Llyfrau Cymru

www.atebol-siop.com

ISBN 978-1-913245-04-7

Dymuna'r cyhoeddwr gydnabod cymorth ariannol
Cyngor Llyfrau Cymru